よまにゃ
ハッピーノート

集英社文庫

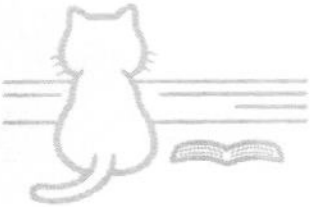

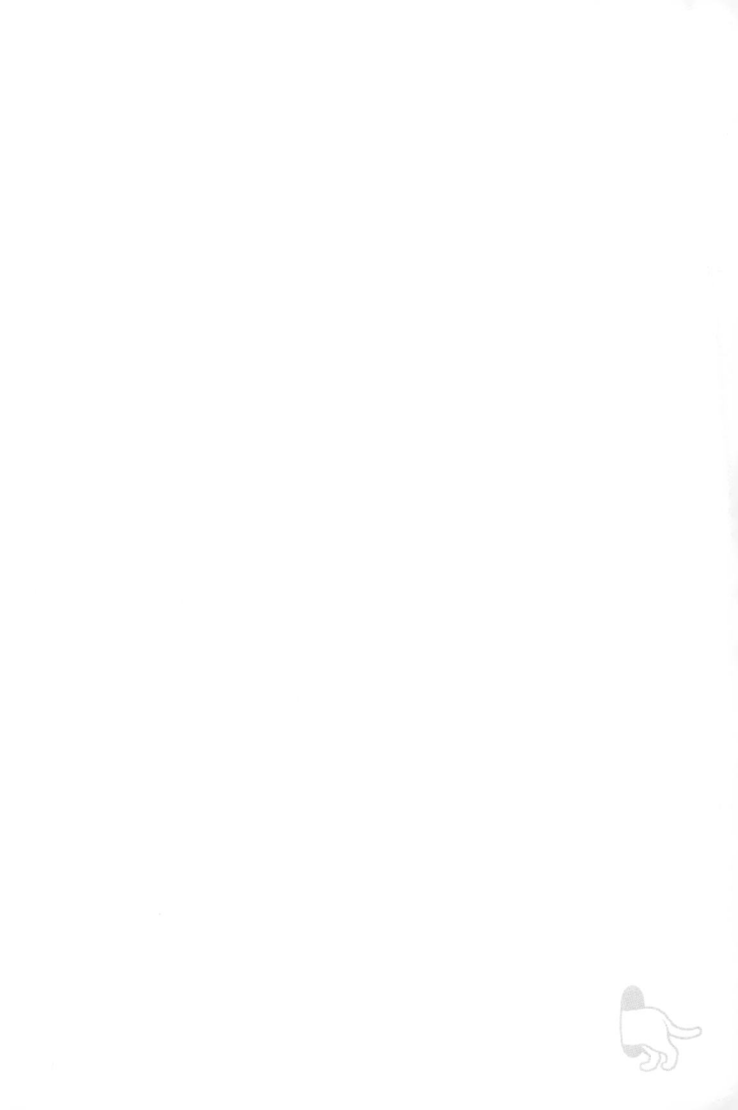

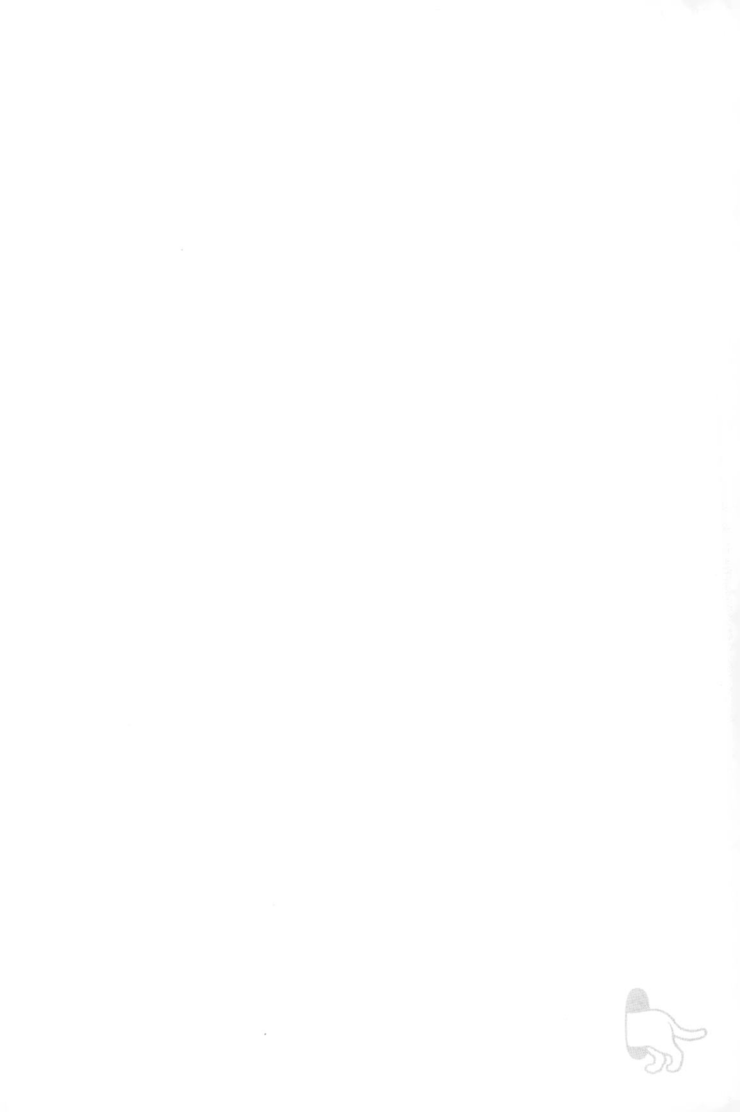

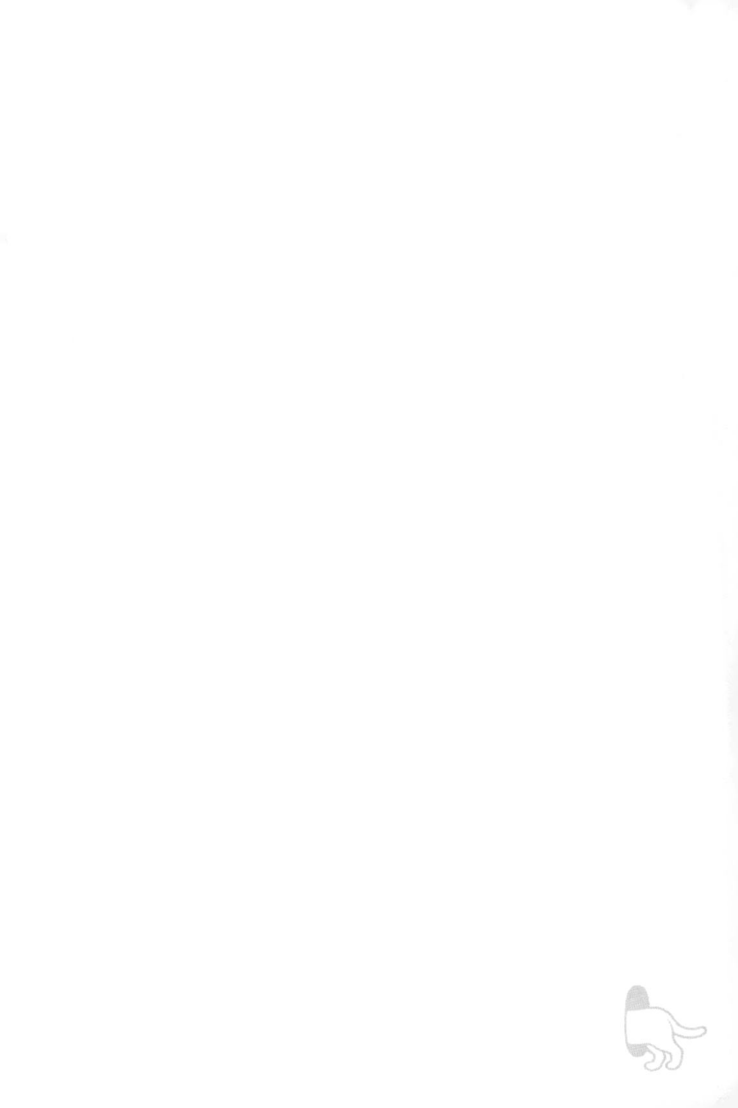

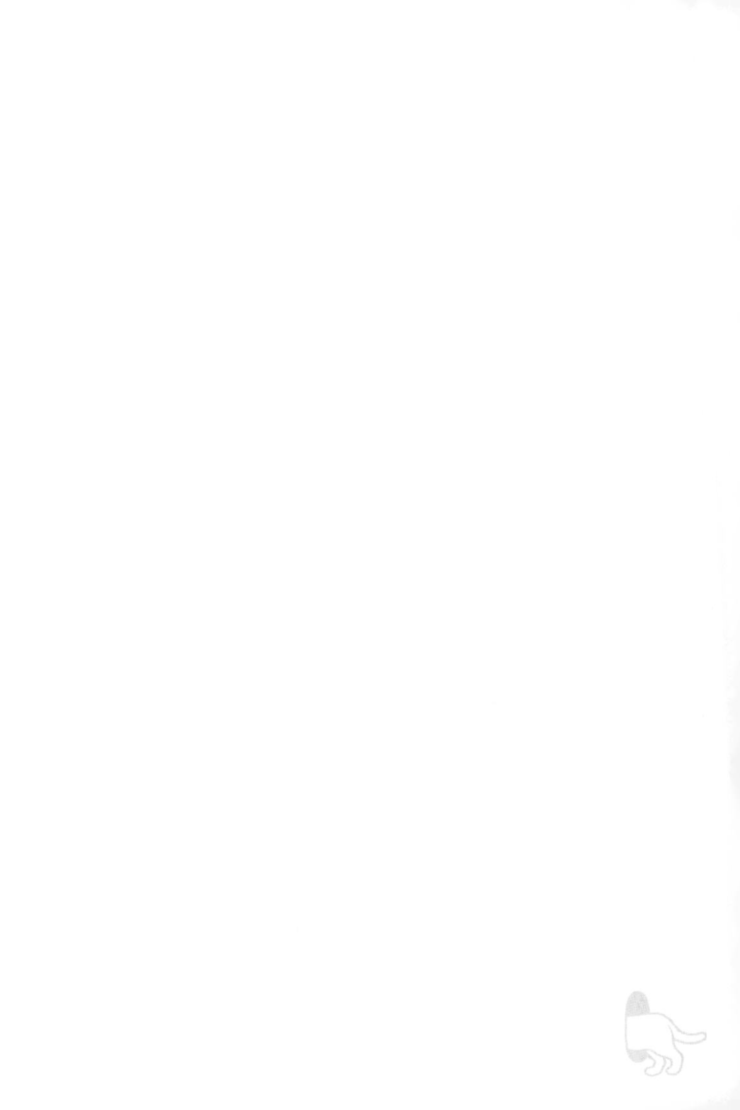

よまにゃ

読書は、
いちばん近い冒険かも。

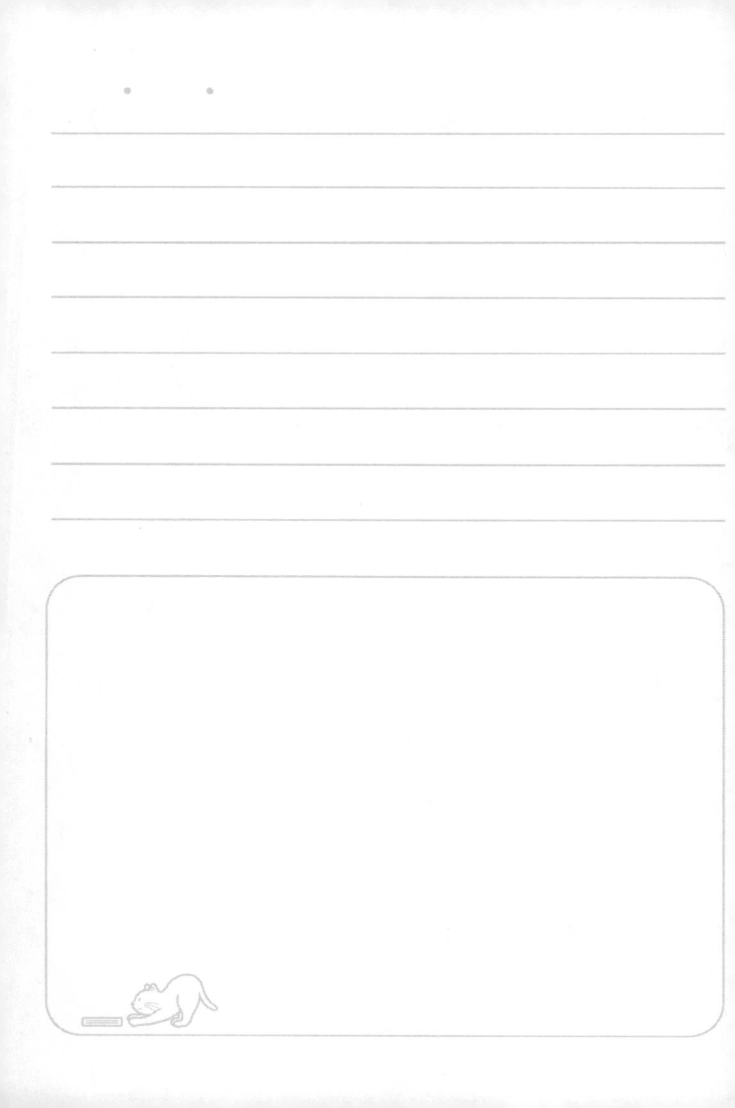